ISBN 978-0-332-24139-5
PIBN 11011690

ORIENTIRUNGSPLAN DES AUSSTELLUNGSGEBÄUDES WIENZEILE 2

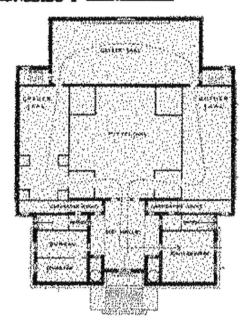

VER SACRUM

ZEITSCHRIFT
DER
VEREINIGUNG
BILDENDER
KÜNSTLER
ÖSTERREICHS

VER SACRUM

erscheint im Verlage von
== E. A. SEEMANN ==
==== LEIPZIG ====
Jährlich 12 Hefte fl. 9 ö. W.

Das Redactions-Comité
besteht aus den Herren:
FRIEDRICH KÖNIG
KOLOMAN MOSER
JOSEF M. OLBRICH
ALFRED ROLLER
DR. F. ZWEYBRÜCK.

== ABONNEMENTS ==
WERDEN IN ALLEN
BUCHHANDLUNGEN
SOWIE IM SECRE-
TARIATE DER AUS-
STELLUNG ENT-
GEGENGENOMMEN.

KATALOG DER

IV·KUNST-
AUS-
STELLUNG

DER

VEREINIGUNG
BILDENDER
KÜNSTLER
ÖSTERREICHS

6

MITGLIEDER-≡ VERZEICHNISS.

ORDENTLICHE MiTGLiEDER:

ALT RUDOLF v., k. k. Professor, Maler, Wien, VIII. Skodagasse 18.

AXENTOWICZ THEODOR, k. k. Professor, Maler, Krakau, k. k. Kunstschule.

BACHER RUDOLF, Maler, Wien, III. Matthäusgasse 6.

BERNATZIK WILHELM, Maler, Wien, IV. Paniglgasse 17a.

BOHM ADOLF, Maler, Wien, VI. Hirschengasse 7.

DEBICKI STANISLAUS, Maler, Lemberg, Kaleczagasse 6/1.

ENGELHART JOSEF, Maler, Wien, III. Steingasse 13.

FALAT JULIAN, k. k. Professor, Maler, Krakau, k. k. Kunstschule.

FRIEDRICH OTTO, Maler, Wien,
IX. Müllnergasse 35.

HAENISCH ALOIS, Maler, München, Schellingstrasse 37/IV, 2. Rg.

HELLMER EDMUND, k. k. Professor, Bildhauer, Wien, IV. Weyringergasse 24.

HÖLZEL ADOLF, Maler, Dachau
bei München.

HOFFMANN JOSEF, Architekt,
Wien, VI. Magdalenenstrasse 12.

HOHENBERGER FRANZ, Maler,
Wien, VI. Wallgasse 25.

HYNAIS ALBERT, k. k. Professor,
Maler, Prag, k. k. Akademie der bildenden Künste.

JETTEL EUGEN, Maler, Wien, III.
Rennweg 68.

JETTMAR RUDOLF, Radirer und
Maler, Wien, IV. Weyringergasse 32.

KLIMT GUSTAV, Maler, Wien, VIII.
Josefstädterstrasse 21.

KNÜPFER BENES, Maler, Rom,
Palazzo Venezia.

KONIG FRIEDRICH, Maler, Wien,
IV. Igelgasse 8.

KOLLMANN JULES DE, Maler,
Paris, 30, Rue Fontaine.

KRÄMER J. VICTOR, Maler, Wien,
IX. Harmoniegasse 6.

KURZWEIL MAX, Maler, Wien, IX.
Währingerstrasse 1.

LENZ MAXIMILIAN, Maler, Wien,
VI. Gumpendorferstrasse 17.

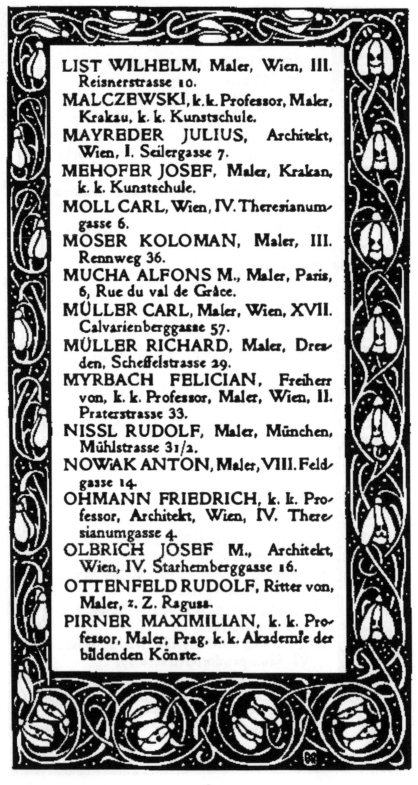

LIST WILHELM, Maler, Wien, III. Reisnerstrasse 10.

MALCZEWSKI, k. k. Professor, Maler, Krakau, k. k. Kunstschule.

MAYREDER JULIUS, Architekt, Wien, I. Seilergasse 7.

MEHOFER JOSEF, Maler, Krakan, k. k. Kunstschule.

MOLL CARL, Wien, IV. Theresianumgasse 6.

MOSER KOLOMAN, Maler, III. Rennweg 36.

MUCHA ALFONS M., Maler, Paris, 6, Rue du val de Grâce.

MÜLLER CARL, Maler, Wien, XVII. Calvarienberggasse 57.

MÜLLER RICHARD, Maler, Dresden, Scheffelstrasse 29.

MYRBACH FELICIAN, Freiherr von, k. k. Professor, Maler, Wien, II. Praterstrasse 33.

NISSL RUDOLF, Maler, München, Mühlstrasse 31/2.

NOWAK ANTON, Maler, VIII. Feldgasse 14.

OHMANN FRIEDRICH, k. k. Professor, Architekt, Wien, IV. Theresianumgasse 4.

OLBRICH JOSEF M., Architekt, Wien, IV. Starhemberggasse 16.

OTTENFELD RUDOLF, Ritter von, Maler, z. Z. Ragusa.

PIRNER MAXIMILIAN, k. k. Professor, Maler, Prag, k. k. Akademie der bildenden Könste.

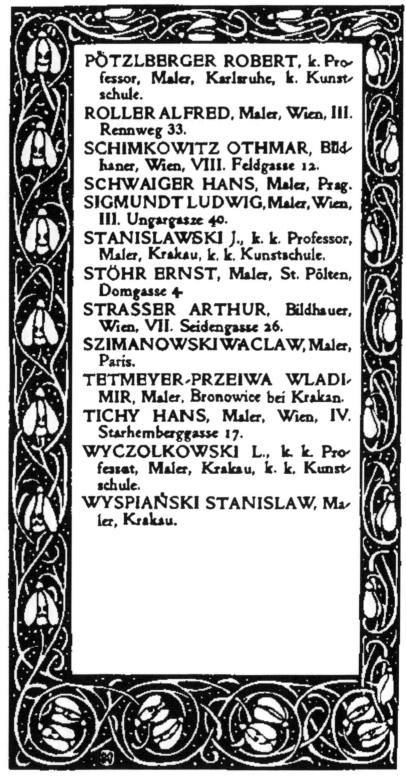

PÖTZLBERGER ROBERT, k. Professor, Maler, Karlsruhe, k. Kunstschule.

ROLLER ALFRED, Maler, Wien, III. Rennweg 33.

SCHIMKOWITZ OTHMAR, Bildhauer, Wien, VIII. Feldgasse 12.

SCHWAIGER HANS, Maler, Prag.

SIGMUNDT LUDWIG, Maler, Wien, III. Ungargasse 40.

STANISLAWSKI J., k. k. Professor, Maler, Krakau, k. k. Kunstschule.

STÖHR ERNST, Maler, St. Pölten, Domgasse 4

STRASSER ARTHUR, Bildhauer, Wien, VII. Seidengasse 26.

SZIMANOWSKI WACLAW, Maler, Paris.

TETMEYER-PRZEIWA WLADIMIR, Maler, Bronowice bei Krakan.

TICHY HANS, Maler, Wien, IV. Starhemberggasse 17.

WYCZOLKOWSKI L., k. k. Professor, Maler, Krakau, k. k. Kunstschule.

WYSPIAŃSKI STANISLAW, Maler, Krakau.

CORRESPONDIRENDE MITGLIEDER:
(MEMBRES HONORAIRES):
(HONORARY MEMBERS):

ALEXANDER JOHN W., Maler, Paris, 31, Boulevard Berthier.

AMAN-JEAN EDMOND FRAN-ÇOIS, Maler, Paris, 9, Rue Poulletier (Ile Saint-Louis).

BARTHOLOMÉ ALBERT, Bild-hauer, Paris, 10, Rue Chaillot.

BERTON ARMAND, Maler, Paris, 9, Rue de Bagneux.

BESNARD ALBERT, Maler, Paris, Rue Guillaume Tell 17.

BILLOTTE RENÉ, Maler, Paris, Bd. Berthier 29.

BOLDINI JEAN, Maler, Paris, 41, Boulevard Berthier.

BOUTET DE MONVEL MAURICE, Maler, Paris, 6, Rue de Val de Grâce.

BRANGWYN FRANK, Maler, Lon-don, Strutford 4 Studio, Stratford road, Kensington W.

BRITON-RIVIÈRE, Maler, London, Flaxley 82 Finchley Road, N. W.

CARABIN FRANÇOIS RUPERT, Bildhauer, Paris, 16, Rue Richomme.

CARRIÈRE EUGÈNE, Maler, Paris, 23, Avenue de Ségur.

CAZIN JEAN-CHARLES, Maler, Paris, Rue de Regard 6.

CHARPENTIER ALEXANDRE, Bildhauer, Paris, 99, Boulevard Murat.

CLAUSEN GEORGE, Maler, Widdington, Newport, Essex.

CRANE WALTER, Maler etc., London, 13 Holland St. Kensington W.

DAGNAN BOUVERET CAI., Maler, Paris, Neuilly (Seine), 73, Boulevard Bineau.

DAMPT JEAN, Bildhauer, Paris, 17, Rue Campagne première.

DETTMANN LUDWIG, k. Professor, Maler, Berlin W., Lützowplatz 10.

DILL LUDWIG, k. Professor, Maler, München, Theresienstrasse 75, Rg.

GARDET GEORGES, Bildhauer, Paris, 78, Avenue de Breteuil.

GRASSET EUGÈNE, Maler, Paris, 65, Boulevard Arago.

HELLEU PAUL, Maler, Paris, 55, Avenue Bugeaud.

HERTERICH LUDWIG, Maler, Stuttgart, Kunstschule.

KALKREUTH GRAF LEOPOLD, Professor, Maler, Karlsruhe.

KHNOPFF FERNAND, Maler, Brüssel, 1, Rue Saint-Bernard.

KLINGER MAX, k. Professor, Maler, Leipzig-Plagwitz, Carl Heinestrasse 6.

KOEPPING CARL, k. Professor etc., Maler, Berlin, Kurfürstendamm 6.

KROYER PETER SEVERIN, Maler, Kopenhagen, Bergensgade.

KUEHL GOTTHARD, k. Professor etc., Maler, Dresden, k. Akademie der bildenden Künste.

LAGARDE PIERRE, Maler, Paris, 5, Rue Pelouze.

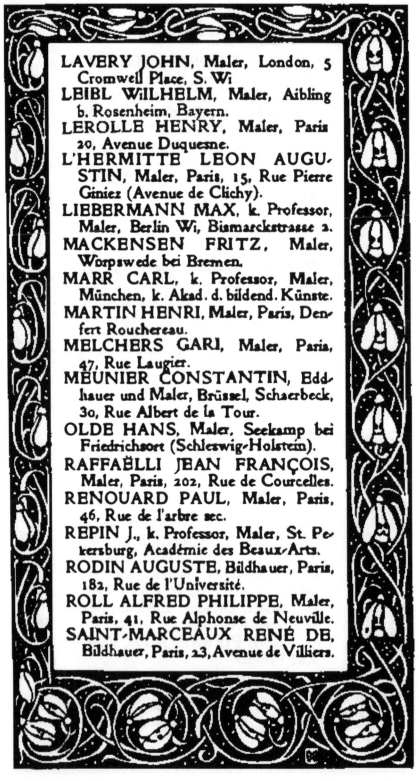

LAVERY JOHN, Maler, London, 5 Cromwell Place, S. Wi

LEIBL WILHELM, Maler, Aibling b. Rosenheim, Bayern.

LEROLLE HENRY, Maler, Paris 20, Avenue Duquesne.

L'HERMITTE LEON AUGU-STIN, Maler, Paris, 15, Rue Pierre Giniez (Avenue de Clichy).

LIEBERMANN MAX, k. Professor, Maler, Berlin Wi, Bismarckstrasse 2.

MACKENSEN FRITZ, Maler, Worpswede bei Bremen.

MARR CARL, k. Professor, Maler, München, k. Akad. d. bildend. Künste.

MARTIN HENRI, Maler, Paris, Den-fert Rouchereau.

MELCHERS GARI, Maler, Paris, 47, Rue Laugier.

MEUNIER CONSTANTIN, Bild-hauer und Maler, Brüssel, Schaerbeck, 30, Rue Albert de la Tour.

OLDE HANS, Maler, Seekamp bei Friedrichsort (Schleswig-Holstein).

RAFFAËLLI JEAN FRANÇOIS, Maler, Paris, 202, Rue de Courcelles.

RENOUARD PAUL, Maler, Paris, 46, Rue de l'arbre sec.

REPIN J., k. Professor, Maler, St. Pe-tersburg, Académie des Beaux-Arts.

RODIN AUGUSTE, Bildhauer, Paris, 182, Rue de l'Université.

ROLL ALFRED PHILIPPE, Maler, Paris, 41, Rue Alphonse de Neuville.

SAINT-MARCEAUX RENÉ DE, Bildhauer, Paris, 23, Avenue de Villiers.

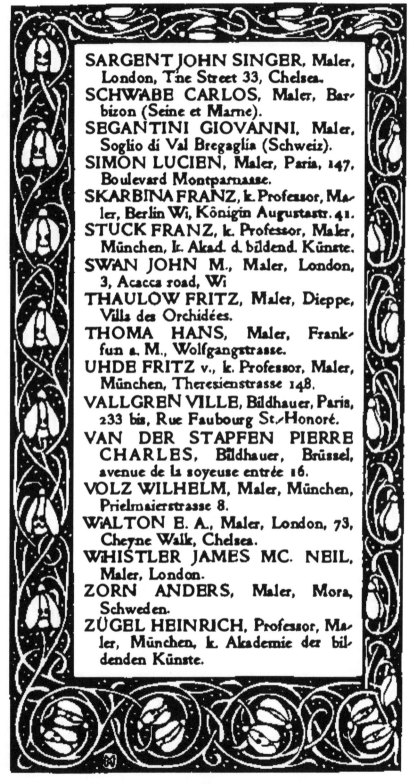

SARGENT JOHN SINGER, Maler, London, The Street 33, Chelsea.

SCHWABE CARLOS, Maler, Barbizon (Seine et Marne).

SEGANTINI GIOVANNI, Maler, Soglio di Val Bregaglia (Schweiz).

SIMON LUCIEN, Maler, Paris, 147, Boulevard Montparnasse.

SKARBINA FRANZ, k. Professor, Maler, Berlin Wi, Königin Augustastr. 41.

STUCK FRANZ, k. Professor, Maler, München, k. Akad. d. bildend. Künste.

SWAN JOHN M., Maler, London, 3, Acacca road, Wi

THAULOW FRITZ, Maler, Dieppe, Villa des Orchidées.

THOMA HANS, Maler, Frankfun a. M., Wolfgangstrasse.

UHDE FRITZ v., k. Professor, Maler, München, Theresienstrasse 148.

VALLGREN VILLE, Bildhauer, Paris, 233 bis, Rue Faubourg St. Honoré.

VAN DER STAPFEN PIERRE CHARLES, Bildhauer, Brüssel, avenue de la soyeuse entrée 16.

VOLZ WILHELM, Maler, München, Prielmaierstrasse 8.

WALTON E. A., Maler, London, 73, Cheyne Walk, Chelsea.

WHISTLER JAMES MC. NEIL, Maler, London.

ZORN ANDERS, Maler, Mora, Schweden.

ZÜGEL HEINRICH, Professor, Maler, München, k. Akademie der bildenden Künste.

Der ARBEITSAUSSCHUSS der
Vereinigung bildender Künstler Oesterreichs besteht aus den Herren: ══════

GUSTAV. KLIMT, Präsident
CARL MOLL, Vice-Präsident
RUDOLF BACHER ══════
ADOLF BOHM ══════
JOSEF ENGELHART ══════
JOSEF HOFFMANN ══════
FRANZ HOHENBERGER
EUGEN JETTEL ══════
OTHMAR SCHIMKOWITZ

FRANZ HANCKE, Secretär

Dr F. HEINZEN, jur. Beirath

15

Die Preise der Kunstwerke sind im Se-
cretariate jederzeit zu erfragen.

Der Verkauf wird AUSSCHLIESS-
LICH durch den Secretär der Vereinigung
bildender Künstler Oesterreichs, Herrn
FRANZ HANCKE, vermittelt.

Ein Drittel des Kaufpreises wird bei Ab-
schluss des Kaufes als Anzahlung, der Rest
mit Schluss der Ausstellung erbeten.

Die Versendung der verkauften Kunstwerke erfolgt nach Schluss der Ausstellung
auf Rechnung und Gefahr des Käufers.

ABKÜRZUNGEN:

Ordentliches Mitglied   OM
Correspondirendes Mitglied CM

MiTTELSAAL.

OLBRICH JOSEPH M.   Wien. OM
     Naturgrosses Modell für den Mittel-
     saal eines Sculptur-Museums.

STRASSER ARTHUR.   Wien. OM
1. Marc Anton.

ROLLER ALFRED.   Wien. OM
2. Farbenskizze zu einem Mosaikbilde:
     „Die Bergpredigt". Vorstudie zu dem
     im Auftrage des k. k. Ministeriums für
     Cultus und Unterricht herzustellenden
     Canon.

RIES THERESA FEOD.   Wien.
3. Relief. Die drei Töchter Sr. Excellenz
     Graf H. Wilczek.
       Links Gräfin Elisabeth Kinsky. Mitte Grä-
       fin Marie Kinsky. Rechts Gräfin Lucletta
       Palffy.
4. Steinbildnis des Bildhauers Ed. Hellmer.
5. Portraitbüste des Baron P. von Pirquet.
6. Portraitbüste der Gräfin Elise Wilczek-
     Kinsky.
7. Portraitbüste des Hofrath Prof. Theod.
     Gomperz.
8. Portraitbüste des Grossindustriellen
     Bernh. Hellmann.

TROUBETZKOY P. PRINZ. Moskau.
9. Russischer Kutschen
10. Auf der Weide.
11. Junge Frau mit Kind.
12. Junges Mädchen.
13. Portrait.
14. Kind mit Hund.

RODIN AUGUSTE. Paris. CM
15. Rochefort.

BEYRER EDUARD JR. München.
16. Pax aeterna.

BARTHOLOME ALB. Paris. CM
17. Das Lebewohl.
17a. Die Unsterblichkeit. Bronze.

SAINT-MARCEAUX. Paris. CM
18. Une bonne fortune.
19. Portraitbüste. Marmor.

ESCOULA JEAN. Paris.
20. Der Stab des Alters.

STUCK FRANZ. München. CM
21. Verwundeter Centaur. Bronze.
21a. Tänzerin. Bronze.

WAGNER OTTO. Wien.
22. Entwurf für die Enveloppe der Adresse der k. k. Akademie der hildenden Künste an Se. Majestät den Kaiser.
23. Entwurf für den Deckel derselben Adresse.
24. Künstlerische Durchbildung des Franz Josefs-Quai in Wien.
An der Ausführung haben sich betheiligt Josef M. Olbrich und Josef Lang.

LÉANDRE CHARLES. Paris.
24a. Vier Chargen.
　　(In den beiden Durchgängen.)

ROTHER SAAL.

HOFFMANN JOSEF.   Wien. OM
Decoration des Saales.

BERNATZIK WILHELM. Wien. OM
25. Flusslandschaft.

SKARBINA FRANZ.   Berlin. CM
26. Wenn die Nachtigallen singen.

ANDRI FERDINAND.   Wien.
27. Am Geländer.
28. Weiblicher Studienkopf. Pastell.
29. Kopf einer Frau. Privatbesitz.
30. Am Morgen. Privatbesitz.
31. Herrnportrait. Privatbesitz.
32. Weiblicher Studienkopf. Pastell.
33. In der Vergolderwerkstätte.
34. Blätterstudie.

FRIEDRICH OTTO.   Wien. OM
35. Götterdämmerung. IV. Gallerie der
    Wiener Hofoper.

TICHY HANS.   Wien. OM
36. Meeresstudie.
37. Meeresstudie.

GAGLIARDINI GUSTAVE.   Paris.
38. Spanische Grenze.
38a. In der Provence.

HOHENBERGER FR.   Wien. OM
39. Frauen-Chiemsee.

BESNARD ALBERT.   Paris. CM
40. Sonnenuntergang.

GAGLIARDINI GUSTAVE.   Paris.
41. Ein Dorf in Languedoc.

JAGER FRANZ W.   Wien.
61. Motiv aus Deutschböhmen.
62. Friedland in Böhmen.

GAULD DAVID.   Glasgow.
63. Die Kirche bei Gretz.

WHITELAW-HAMILTON. Glasgow.
64. Zwielicht.

MOLL CARL.   Wien. OM
65. Vor dem Diner.

ANDREAU RENE.   Paris.
66. Wissaut. Pas de Celait. Abendstunde.

WHITELAW-HAMILTON. Glasgow.
67. Schottische Landschaft.

THOMAS GROSVENOR. Glasgow.
68. Ein Frühlingslied.

SKARBINA FRANZ.   Berlin. CM
69. Abend am Wasser.

OLDE HANS.   Seekamp. CM
70. Schneestimmung.

GELBER SAAL.

KURZWEIL MAX. Wien. OM
71. Portrait.

AUCHENTALLER JOSEPH. Wien.
72. Portrait.

ALT RUD. V. Wien. Ehrenpräsident.
73. Piazetta in Venedig.
74. Ahe Niklaskirche in Gastein.
75. Colosseum in Rom.

ELIOT MAURICE. Paris.
76. Bedeckter Himmel.
77. Der Morgen.
78. Rosenmalve.
79. Klatschrosen.

ROGER GUILLAUME. Paris.
80. Phantasie.

ALT RUD. V. Wien. Ehrenpräsident.
81. Fichte in Gastein.
82. Salzburg.
83. Platz in Gastein.

KLEINERT EDGAR. Wien.
84. Herbstabend.

DORSCH FERDINAND. Wien.
85. Ein deutsches Lied.

FROMUTH CHARLES. Concarneau.
86. Im Hafen.
86a. Gestrandete Schiffe.
86b. Im Hafen.

NOWAK ANTON. Wien. OM
87. Abend.
88. Kürbisfeld.

KNIRR HEINRICH. München.
89. Männliche Studie.

PASTERNAK LEONID. Moskau.
90. Vor dem Examen.

DETTMANN LUDWIG. Berlin. CM
91. Wesser am Waldrand.

LENZ MAXIMILIAN. Wien. OM
92. Eine Welt.

KNIRR HEINRICH. München.
93. Alte Frau.

NOWAK ANTON. Wien. OM
94. Sonnige Strasse.

KROYER PETER. Kopenhagen. CM
95. Selbstportrait.

KUEHL GOTTHARD. Dresden. CM
96. Schlachthaus.

NOWAK ANTON. Wien. OM
97. Abend an der Donau. Wachau.

NISSL RUDOLF. München. OM
98. Genrebild.

KUEHL GOTTHARD. Dresden. CM
99. Lüneburg, Fiskulenhof.

BAERTSOEN ALBERT. Paris.
100. Der kleine Hof.
101. Abend im Armenhaus. Privatbesitz.

GANDARA ANT. DE LA. Paris.
102. Die Statue der Diana.
103. Ansicht der Tuillerien.
104. Portrait der Gräfin Noailles.
105. Ansicht von Luxembourg.
106. Ansicht von Luxembourg.

BAERTSOEN ALBERT. Paris.
107. Der alte Hafen. November.
108. Auf Seeland.
109. Die Sackgasse.

KUEHL GOTTHARD. Dresden. CM
110. Im roten Salon. Privatbesitz.
111. Augustusbrücke in Dresden. Herbst.
112. Interieur mit grünem Koffer.
113. Augustusbrücke im Winter.

KUEHL GOTTHARD. Dresden. CM

114. Hamburg.
115. Brühl'sche Terrasse.
116. Theilfold-Hamburg.
117. Vor dem Ausgang.
118. Interieur in Lüneburg.
119. Weisses Interieur.
120. Zwinger in Dresden.

HORNEL EDWARD. Glasgow.

121. Spielende Kinder.

MANN HARRINGTON. Glasgow.

122. Wintermorgen.

LÉANDRE CHARLES. Paris.

122 a. Torso eines jungen Mädchens.
122 b. Portrait des Dichters Jehan Rictus.

Pult I.

KOLLWITZ KÄTHE. Berlin.

A. Ein Weberaufstand.

SKARBINA FRANZ. Berlin. CM

B. Das Gesicht Christi.

CRAWHALL JOSEPH. Glasgow.

C. Studie.

ELIOT MAURICE. Paris.

D. Actstudie. Lithographie.
E. Die Pfaufeder. Lithographie.

BAERTSOEN ALBERT. Paris.

F. Abendstimmung.
G. Weg auf Zeeland.

LÉANDRE CHARLES. Paris.

H. Der Virtuose.
 I. Geständnisse.

Pult II.

RENOUARD PAUL. Paris. CM

K. Portraits. Einzeln verkäuflich.
L. Kinderstudien.

GRAUER SAAL.

HOFFMANN JOSEF.   Wien. OM
Decoration des Saales.

KOLLMANN JULIUS V. Paris. OM
123. Cheval blanc.
124. Fog.

JETTEL EUGENE.   Wien. OM
125. Bauernhof. Privatbesitz.

GAULD DAVID.   Glasgow.
126. Der grosse Weg. Fontainebleau.

WENGEL JULES.   La Cantereine.
127. Psyche.

GAULD DAVID.   Glasgow.
128. Bauern auf der Heimkehr.

CRAWHALL JOSEPH.   Glasgow.
129. Die Promenade.

MAC NICOL BESSIE.   Glasgow.
130. Tritoma.

KLIMT GUSTAV.   Wien. OM
131. Schubert.

BURNS ROBERT.   Glasgow.
132. Ein iunges Mädchen. Privatbesitz.

GAULD DAVID.   Glasgow.
133. Gretz, vom Flusse aus.

CRAWHALL JOSEPH.   Glasgow.
134. Londoner Nebel.

BERTON ARMAND.   Paris. CM
135. Unter Blättern.

RAFFAELLI JEAN-F.   Paris. CM
136. Der Strassenkehrer.
137. Der Händler.

MURRAY JOHN REID.   Glasgow.
138. Herbst.

KLIMT GUSTAV.   Wien. OM
139. Allerlei Gesichter.

ENGELHART JOSEPH. Wien. OM
140. Teil einer Saalwand.

> Die Kaminverkleidung in Holz und
> Kupfer wurde entworfen und mo-
> dellirt vom Künstler und ausgeführt
> unter Mitwirkung von Georg Klimt,
> Franz Zeleczny, Josef Heutha, Eduard
> Schöfer.
> Der Entwurf der Bildfüllung über dem
> Kamin ist für Ausführung in Seiden-
> stickerei gedacht.

BERTON ARMAND.   Paris. CM
141. Der Morgen.
142. Der Schlaf.

BESNARD ALBERT.   Paris. CM
143. Damenportrait.

JETTEL EUGÈNE.   Wien. OM
144. Schafherde.
145. Der Gänseteich. Kotting-Neisiedel.
146. Ruhende Ackerpferde.
147. Gemüsegarten bei Cayeux.

KLIMT GUSTAV.   Wien. OM
148. Die nackte Wahrheit.

JETTEL EUGÈNE.   Wien. OM
149. Landstrasse in Kotting-Neisiedel.
150. Wassertümpel in Kotting-Neisiedel.
151. Entennester. Dortrecht.
152. Landstrasse bei Cayeux.

HOHENBERGER FR.   Wien. OM
153. Akt-Studie.

BACHER RUDOLF.   Wien. OM
154. Domine quo vadis.

> Römische Legende. Petrus, vor dem
> Märtyrertode aus Rom fliehend, be-
> gegnet der Erscheinung Christi. Auf
> Petri Frage „Domine quo vadis?"

(Herr, wohin gehst Du?) antwortet
Christus „Venio Romam iterum cruci-
figi" (Ich komme nach Rom, um noch-
mals gekreuzigt zu werden). Beschämt
kehrt Petrus nach Rom zurück.

CHARPENTIER ALEX.   Paris. CM
155. Stutzuhr. Holz u. vergoldete Bronze.
      Die Flucht der Stunde. Gruppe in
      vergoldeter Bronze.
      Die Parzen. Drei Reliefs in vergoldeter
      Bronze.

VALLGREN ANTOINETTE. Paris.
156. Kinderköpfchen. Bronze.

VALLGREN VILLE.   Paris. CM
156a. Bretagnerin. Bronze.
156b. Der Schmerz. Bronze.

KUNSTGEWERBEZIMMER.

MOSER KOLOMAN.   Wien. OM
Wanddecor in drei Farben „Hortensien-
laube".

ANDRI FERDINAND.   Wien.
157. Juni. Farbige Kreidezeichnung.
158. Markt in St. Pölten.
159. Galizischer Markt.
160. Musizirender Bettler.
161. Fahrt zum Markt.
162. Reitender Bauer.
163. Galizische Bauern.
164. Nach dem Markt.
165. Schloss Ochsenburg.

THAULOW MADAME.   Paris.
166. Ledertaschen.

CHARPENTIER ALEX.   Paris. CM
167. Portrait der Mme. Severine.
168. Portrait von Emile Zola.
169. Modell der Medaille für Emile Zola.
170. Portrait von Puvis de Chavannes.
171. Portrait von Puvis de Chavannes.

CARABIN FRANÇOIS.   Paris. CM
172. Broche.

ORLIK EMIL.   Prag.
173. Original-Radirungen, Lithographien
und Holzschnitte. Handdrucke.
174. Die Gracht.
175. Mein Zimmer.
176. Aus Edinburgh.
177. Die Kirche.
178. Gunnersbury.
179. Aus Edinburgh.
180. Nachtbild.
181. Das alte Thor.

ORLIK EMIL.   Prag.
182. Im Park.
183. Aus meinem Fenster.
184. Aus Edinburgh.
185. Abendstimmung.

MYRBACH F. FREIH. V.   Wien. OM
186. „Hurrah!" Algrafie.
187. Portrait.

SCHMUTZER FERD. JR.   Wien.
188. Rudolf von Alt. Orig.-Radirung.

STÖHR ERNST.   St. Pölten. OM
189. Im Mondschein.
190. Nachmittagssonne in der Küche.
191. Winterabend.

HOFFMANN JOSEF.   Wien. OM
    Ausgeführt von Wi Hollmann.
192. Buffet aus grauem Ahorn.
193. Buffet aus grau gebeiztem Fichten-
     holz.
194. Buffet aus Eichenholz.
195. Legekasten aus Lerbaum.
196. Palmenständer.
197. Hocker.

MOSER KOLOMAN.   Wien. OM
198. Forellenreigen.
199. „Der Vogel Bülow."
200. „Hafisa."
     Gewebter Flächenschmuck für zwei
     Farben.
201. Geknüpfter Polsterbezug.
202. Geknüpfter Polsterbezug.
203. Geknüpfter Bodenbelag. „Klee."
     Nr. 198—203 ausgeführt von J. Back-
     hausen & Söhne, Wien.

SCHWAIGER HANS.   Prag. OM
204. Aquarell.
205. Strasse in Brügge. Privatbesitz.

ROTHANSL EDMUND. Wien.
206. Schmuckschale. Schildkröte. Bronze.

BARTHOLOMÉ ALB. Paris. CM
207. Weinendes Mädchen.

LERCHE H. ST. Paris.
208. Fayencen.

NOCQ HENRY. Paris.
209. Salzgefäss. Silber.
210. Serpentintanzerin.

CARABIN FRANÇOIS. Paris. CM
211. Mädchen mit Katze.
212. Mädchen mit Katze.
213. Schreibzeug. Mädchen mit Kürbis.

VALLGREN VILLE. Paris. CM
214. Die Jugend. Silber.
215. Vase. Bronze.

HEIDER FAMILIE VON. Schongau.
216. Keramiken.

LÉANDRE CHARLES. Paris.
217. Weihnachten.

ALPHABETISCHES ══
INHALTS-VERZEICHNISS

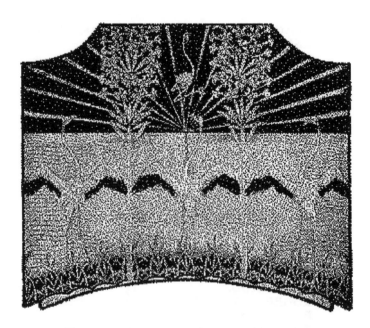

Für die decorative Ausstattung unserer
Ausstellung sind wir zu besonderem Danke
verpflichtet den Herren:

K. u. k. Hoflieferanten
JOH. BACKHAUSEN & SÖHNE.

K. u. k. Hofdecorationsmaler
ADOLF FALKENSTEIN.

K. u. k. Hoftapezierer
FRANZ X. SCHENZEL & SOHN.

Möbelfabrikanten
FRIEDRICH OTTO SCHMIDT.

NOTIZEN:

„FLÜGELRAD"

PRÄCISIONSMASCHINE ERSTEN RANGES
LEICHT IM LAUF — LEICHT IM GEWICHT
VORNEHME BAUART

FERDINAND CHRIST & C<u>o</u>.
WIEN

NIEDERLAGE: I. FRIEDRICHSTRASSE 8 (NEBEN
DEM SECESSIONS-KÜNSTLERHAUS)
FAHRSCHULE: IV. FREIHAUS, 6. HOF (VIS-A-VIS
DEM SECESSIONS-KÜNSTLERHAUS)
SCHÖNSTE UND GRÖSSTE FAHRSCHULE
IM CENTRUM WIENS

NOTIZEN:

SCHENKER & C⁰·

**INTERNATIONALES
REISE-BUREAU
L, SCHOTTENRING 3
GESELLSCHAFTS-
══ REISEN. ══**

INTERNATIONALE TRANSPORTE
CENTRALBUREAU: L NEUTHORGASSE 17.

NOTIZEN:

RICHARD MELCHER
RAHMEN-TISCHLEREI
WIEN, IV/1, PRESSGASSE 22 ☰ TELEPHON 7782

EMPFIEHLT SICH ZUR
ANFERTIGUNG ALLER ARTEN VON
ELEGANTEN MODERNEN RAHMEN
ZU BILLIGEN PREISRN

NOTIZEN:

≣ TAPETEN ≣

ORIGINAL-ENGLISCHE NEU-
≡ HEITEN SOWIE ALLE ≡
MODERNEN STYLARTEN BEI

JERK & SCHUSCHITZ
WIEN, I. GETREIDEMARKT 2

NOTIZEN:

CARL HIESS

≡ WIEN, I. GRABEN 11 ≡

LUXUS-GALANTERIE-WAREN,
KUNSTGEWERBLICHE GEGEN-
≡≡≡ STANDE ≡≡≡

NOTIZEN:

ZEISSER, HABIGER & COMP.

WIEN VII/3, NEUSTIFTGASSE 72
LUSTER- U. KUNST-BRONZEN-FABRIK

BELEUCHTUNGS-GEGENSTÄNDE FÜR ELEK-
TRISCHES LICHT IN STYLGERECHTER
AUSFÜHRUNG

SPECIALITÄTEN:
MESSING-MÖBEL
MESSING-BETTEN.

NOTIZEN

DER BESTE ALLER BLEISTIFTE IST VNBESTRITTEN:
L. & C. HARDTMVTH
KOH
I
NOOR
EXISTIERT IN ·16· HÆRTEGRADEN
ZV HABEN IN JEDER
BESSEREN PAPIERHANDLVNG

NOTIZEN:

KUNSTVERLAG

S. LEBEL

I. KOLOWRATRING 6

AQUARELL-GRAVURE

RADIRUNGEN

KUPFERSTICHE

MODERNE AUSSTATTUNG

NOTIZEN:

DZIEDZINSKI v HANVSCH
K. v. K. HOFBRONZEWAREN · FABRIK
WIEN · VIII · ALBERTGASSE 3
KVNSTBRONZEN · FEINSTEN
GENRES · VHRGARNITVREN
FIGVREN · JARDINIÈREN
VASEN · BELEVCHTVNGSKÖRPER

NOTIZEN:

GEBRÜDER
BRÜNNER
WIEN . VI ℀
MAGDALENENST.
10 ½
ELEKTRISCHE
BELEUCHTUNGS
OBJECTE.

NOTIZEN.

NOTIZEN:

E. BAKALOWITS SÖHNE

K. UND K. HOFLIEFERANTEN
WIEN, I. KÄRNTNERSTRASSE 16
===== EISERNES HAUS =====
KRYSTALL-LUSTER, TRINK-
SERVICES, SPIEGEL, PHAN-
== TASIE-OBJECTE ETC. ==

NOTIZEN:

**K. UND K. HOF-
UND KAMMER-
CLAVIER-
FABRIKANT**

FRIEDRICH EHRBAR
WIEN, IV. MÜHLGASSE 28

MODERN
AUSGESTATTETE
CLAVIERE
°°° FABRIKEN: °°°
IV. PRESSGASSE 28
IV. MUHLGASSE 30
X. LAXENBURGER-
STRASSE 39

NOTIZEN:

NOTIZEN:

≡ KUNSTHANDLUNG ≡
EUGEN ARTIN

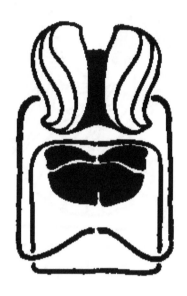

≡ WIEN, I. ≡
STEFANSPLATZ 4
≡ (DEUTSCHES HAUS) ≡

NOTIZEN:

PAPIER ═ SCHREIB ═ ZEICHEN ═
UND MALER REQVISITEN
HANDLVNG

THEYER & HARDTMVTH
· I · KÄRNTHNERSTR · 9
GEGRVNDET = 1733

ORIGINAL · MARGARET · MILL

NOTIZEN:

ALEXANDER ALBERT

≡ K. UND K. HOF- ≡
KUNSTTISCHLER

≡≡≡ WIEN, III. ≡≡≡
SCHÜTZENGASSE 19

NOTIZEN:

J. BACKHAUSEN & SÖHNE

FABRIKEN
FÜR MÖBELSTOFFE,
TEPPICHE, TISCH-
UND BETTDECKEN
IN WIEN UND
HOHENEICH

NIEDERLAGE:
WIEN, I.

OPERNRING 1
(HEINRICHSHOF)

NOTIZEN:

GÜNTHER WAGNER'S
≡ PELIKAN-FARBEN ≡
FEINSTE MARKE FÜR KÜNSTLER.

PREISLISTEN UND MUSTER AUF
WUNSCH DIRECT VOM FABRI-
KANTEN GÜNTHER WAGNER,
≡ HANNOVER UND WIEN. ≡

NOTIZEN:

Lightning Source UK Ltd.
Milton Keynes UK
UKHW010607120219
337137UK00007B/1538/P